〈그때 그 장소〉편

고향, 그리다

ART ON EARTH

고향, 그리다 : 〈그때 그 장소〉편

2020년 11월 30일 1쇄 펴냄
2021년 3월 15일 2쇄 펴냄

지은이	송정은, 허애경
그린이	하정
말한이	김영란, 김원섭, 김진-윤경희 부부, 남궁덕병, 노순옥, 이참복, 임연홍, 양영옥, 한향자, 허은회

펴낸곳	아트온어스
주소	서울시 성동구 독서당로 42길 7-1 4층
판매 및 문의	070-4227-1278
홈페이지	www.artonearth.kr
디자인	로컬앤드 김욱, 권용석
인쇄	동양인쇄

ISBN 979-11-971800-1-9 17650
ISBN 979-11-971800-0-2 17650 (1~3권 세트)

<그때 그 장소>편

고향, 그리다

아트온어스

아트온어스는 예술치료 기반의 심리사회적지원
단체입니다. 우리 안에 있는 창의성과 회복의
힘을 신뢰하며, 누구나 겪을 수 있는 삶의 어려움
가운데 심리적 자원을 회복하고 다시 연결될 수
있도록 함께합니다.

www.artonearth.kr
www.facebook.com/helloartonearth
https://www.instagram.com/arton_earth/

그림 | 하정

서울 북촌에서 잘생긴 고양이 동동과 함께
삽니다. 그림과 글로써 이야기를 만들어 내는
일을 좋아합니다.
인스타그램 @goodsummer77
이메일 gingcrroll@navcr.com

나를 있게 하는 우리 (나우)

나우는 장애나 질병이 있어도, 나이가 들어도
안심하고 살아갈 수 있는 지역사회의 사회적
자본을 구축하고자 나우뮤직랩과 한국에자이가
중심이 되어 설립한 사회혁신네트워크입니다.
보건소, 기업, 학회, 협회 등 20여 개의 파트너
기관이 함께합니다.

blog.naver.com/nowprojectkr

'고향, 그리다'

치매를 앓으셨던 할아버지는 틈만 나면 고향에 가겠노라며 집을 나섰고, 못 가게 말리면 가족들 몰래 집을 나가셨습니다. 그럴 때마다 쫓아 나가 할아버지를 모시고 집에 들어오며 "도대체 고향에 뭘 숨겨두셨길래" 하고 푸념 섞인 농담을 하기도 했습니다.

많은 분들이 나이가 들고 치매에 걸리면 최근의 기억부터 잊어버리곤 합니다. 가장 오래된 기억이 가장 오래 남아 있는 것이지요.

어르신들이 사용하실 책에 그런 이야기를 담고 싶었습니다. 오래오래 그들 안에 남아 있는 장면들. 언제 이렇게 시간이 지났나 싶은 순간들, 사람들, 그리고 그 곁을 함께한 마음들.

그 마음을 담은 <고향, 그리다>로 미술 활동을 하고, 나와 타인의 고향에 관해 이야기 나누며 주제 유지, 공동 주의 집중, 과거 회상과 같은 인지적 활동을 할 수 있습니다. 또한, 같은 세대가 겪은 삶의 조각을 통해 아픔과 기쁨을 나누고 서로 위로하는 시간이 되어도 좋겠습니다. 경도인지장애를 겪고 계신 분들이라면 회상 기억, 촉각, 시각 등 복합적인 자극을 통해 남은 기억과 능력을 유지할 수 있도록 격려해 주세요.

색연필, 크레파스 외에 다양한 재료로 새로운 시도를 해 보세요! 파스텔, 물감이나 스티커 붙이기 등 사용하시는 분의 운동성과 조절 능력에 맞는 다양한 미술 매체를 활용하시면 보다 풍성한 경험이 될 것입니다.

옛 시절의 이야기를 간직한 어르신, 그리고 주위의 어르신들과 함께 시간을 나누고 싶은 모든 분들에게 <고향, 그리다>가 새로운 추억이 되었으면 합니다.

아래의 QR코드를 통해 다양한 매체 활용 방법 및 세부 인터뷰 내용을 확인하실 수 있습니다.

고향, 그리다

그때 그 장소 : 차례

- **기차역**　　　08　　　윤경희, 김진 부부
- **시장**　　　　10　　　허은회
- **학교**　　　　12　　　한향자
- **우물**　　　　14　　　이참복
- **분식집**　　　16　　　노순옥
- **극장**　　　　18　　　임연홍
- **정육점**　　　20　　　남궁덕병
- **양장점**　　　22　　　김영란
- **버스**　　　　24　　　김원섭
- **다방**　　　　26　　　양영옥

기차역

"삶은 계란 그게 젤 최고급이라니까"

기차 타던 설렘을 간직한 윤경희,
김진 부부(1949, 1945년생, 경상남도 부산)
님의 이야기입니다.

"초등학교 다닐 때 제일 추억에 많이 남아 있는 게 방학에 외가댁으로 기차 타고 갔던 거. 칙칙폭폭 이 기차뿐이었거든. 석탄 열차 시절에 왝왝하고 소리내고 둥그렇게 칸이 죽~~있고. 땅그랑~ 땅그랑~ 신호가 종 치듯이 울리고." 김

"부산역도 지금 같은 건물이 아니고 그냥 역사인데 기차가 밖으로 들어오게끔 되어 있었다." 윤

"옛날에 기차를 타면 '껌, 담배, 캐러멜 있어요' 하던 그 추억이 있어…" 김

"바구니에 들고. 유니폼 그런 거 없어 시장바구니 이래가~ 얼마나 무거볍겠노, 그 사람." 윤

시장

"시장이 왜 좋긴, 엄마 손잡고 가니 좋지"

알사탕 하나 물면 먼 시장 길도 즐거웠던 허은회(1955년생, 경기도 동두천) 님의 이야기입니다.

"집에서부터 엄마가 두부 한 판을 머리에 이고 시장까지 가면 엄마 뒤에 쫄랑쫄랑 쫓아가는 거야."

"시장에 우리가 두부를 파는 가게가 있었어. 그 가게에 뭐... 다 있었지. 생선도 있고, 콩나물도 있고, 채소도 있고… 거기에서 엄마가 집에서 만든 두부를 파는 거야."

"두부 팔고 나면 사탕 하나를 사줘서 입에 물고 엄마 손잡고 집에 오는 거지."

"형제가 많았는데 내가 유독 엄마를 잘 따라 다녔어. 그래서 엄마도 날 더 예뻐했나?"

학교

**"학교 다닐 때
그때로 돌아가고 싶어"**

어린 시절 선생님이 꿈이었던
한향자(1953년생, 전라남도 순천) 님의
이야기입니다.

"학교 운동장에서 고무줄놀이를 하면 남자애들이 고무줄 끊고 가고, 공치기를 하면 공을 빼앗고. 그건 어디나 다 있었던 것 같아."

"나는 그렇게 활동적이지 못해서 고무줄 같은 건 조금만 했어. 4학년 때부터는 특별활동을 해서 악기부, 합창부에 들어갔고."

"그때가 그리운지 가끔 학교 가는 꿈을 꿔. 그때는 내가 하고 싶은 것도 그렇고 공부도 그렇고 마음대로 못 했던 거 같아."

"선생님이 되고 싶었어. 지금도 다시 태어난다면 공부하고 싶어."

우물

**"물이 무겁고 출렁이니까 누가 나랑 물지게를
흔드는 것처럼, 그렇게 되어 버리더라고"**

흔들거리는 물지게 지고 가서
물항아리를 채웠던 이참복(1956년생,
전라북도 익산) 님의 이야기입니다.

"집 사이 공터에 우물이 있는 거지. 물지게 지고 물을 먹을 만치 갖다 항아리에 부어."

"등판은 나무로 돼 있거든. 바케스를 매달아. 똑같이. 물을 담으면 손으로 잡아야지. 내가 흔들흔들하면서 물이 흘러 떨어지거든. 다 흘려, 다."

"근데 한 번은 우물 안으로 숙이고 있다가 높이가 낮으니까 순간적으로 빠질 뻔했어. 그거 생각하면 어우~"

"거기서 보리쌀 한 바가지 가져다가 보리쌀도 씻고 두레박으로 부어주면 밑에서 머리도 감고 그랬지. 더우면 웃통을 벗어서 등목을 했지. 거기서는 그랬어."

분식집

"다방에 못 들어가니까 고등학생들한테는 분식집이지"

흘러나오는 팝송에 절로 어깨춤을 들썩이던 노순옥(1955년생, 서울) 님의 이야기입니다.

"퇴계로에 진양분식 유명했어. 말죽거리에서 78번을 타면 그게 약수동으로 해서 퇴계로로 해서 서울역으로 해서 다시 제3한강교로 가거든… 그거 타고 갔지."

"분식집에 디제이 박스가 조그맣게 있었어. 우린 거기서 팝송 틀어 놓고 손으로 춤추고 어깨 들썩이고 그렇게 놀았지."

"사복은 약간 굽 있는 샌들. 지금 생각해 보면 5센티 정도 되는 굽인 거 같아. 나팔바지는 이 폭이 30인치 되는 것도 있었어. 위에는 체크무늬 남방을 입었지."

"교복을 입고 가면 어느 학교인지 아니까 사복을 입고 갔지. 다들 앉아서 어깨춤을 추는 거야."

극장

"따로 영화를 보러 가면
정학이고, 친구들끼리 가면 안돼"

극장으로 소풍 갔던 날이 생생한
임연홍(1956년생, 경기도 양주) 님의
이야기입니다.

"학교 다닐 때 영화관은 〈누구를 위하여 종을 울리나〉 이런 영화를 보려고 갔어. 학교에서 정해 준 날이 있었지. 일주일 전에 영화 관람하는 날을 알려주고 돈을 준비해 가면 반장이 걷어서 일률적으로 내. 극장은 일단 따로 못 가."

"영화표에 그때는 짤막하게 영화의 한 장면이 그려져 있었어. 배우들 얼굴이 그 안에 있었지… 지금으로 말하면 포스터야."

"선생님이 같이 보니까 친구들 하고 말도 없이 영화만 봤지. 떠들면 혼나니까. 극장 갈 때도 교복 입고 갔어. 허리가 잘록하게 들어가고 흰 카라를 풀 먹여서 세웠어."

"연애할 때도 극장에서 영화 보고 치킨집 가서 맥주 한 잔씩 했어. 치킨은 지금 하고 다르게 한 마리가 통째로 튀겨져 나왔어."

정육점

"거기 순대가~ 지금도 잊어먹질 않아. 맛이 그렇게 좋았어"

고향의 맛을 잊지 못하는
남궁덕병(1955년생, 충청남도 부여) 님의
이야기입니다.

"칼판이 지금은 스뎅다이지만 그땐 나무다이여서 걸어 놓은 고기 갖다가 잘라서 주고. 그때는 덩어리로 주는 거야."

"고기나 비계 이런 거 뚝딱뚝딱 잘라 가지고 근으로 딱 팔아. 짚으로만 묶어서 줬는데, 좀 지나니까 신문 나오고 포대 종이 나오고 해서 그걸로 둘둘 만 다음 짚으로 묶어 주고 그랬지."

"시장 안에 있는 정육점은 순대 국밥도 팔았고. 정육점하고 같이 묶여 있었어."

"5일장 때만 순댓국을 팔아. 장날엔 새벽에 나오잖아. 먼 데서. 몇 십 리 길을 오는 사람도 있고. 그러니 맛이 좋지."

| 양 | 장 | 점 |

"명동이 패션 거리잖아"

패션 감각을 뽐내며 명동을
거닐던 김영란(1955년생, 서울) 님의
이야기입니다.

"직장을 다녔을 때는 20대 때야. 24살, 25살 쯤이었지. 옷은 많이 맞춰 입었는데."

"보라색에 어깨에 뽕이 있고, 셔링이 들어가 있고, 허리는 싹 들어가고, 밑에는 좀 긴 맥시라고 그러나? 구두도 신었지. 그때는 그런 게 유행이었어. 구두는 항상 높은 거."

"직장을 다니니까 옷을 많이 입어야 돼서. 언니가 있으니까 언니들하고 같이 가서 맞춘 거지."

"거기 가면 항상 국수도 사 먹고 떡볶이도 사 먹고. 내가 직장 다닐 때부터 언니랑 즐겁게 옷을 맞춰 입고 시장도 구경 다니고 그랬는데, 결혼하고 나서도 그게 계속되었어. 엄마랑 같이."

버스

"차장도 있었고, 회수권 10장 나오면 11장 만들고 그랬지"

버스 타고 데이트했던 김원섭(1955년생, 서울) 님의 이야기입니다.

"음악을 좋아하는 사람들이 만났지. 와이프는 노래를 좋아해서 들어왔고, 난 노래를 잘하지."

"버스 타고 왔다~ 갔다~ 내가 가면은 자기가 바라다 준다고 하고."

"안 계시면 오라이 아니고, 동전 있잖아. 동전으로 유리를 톡톡 쳐. 그럼 들리잖아. 그때 출발하는 거지."

"데이트는 남산으로 시작해서 궁이란 궁은 다 돌아다녔어. 그래서 어서 첫 키스를 했냐면 도산공원에서 했어. <콜로라도의 장미> 한 번 불러주니까 지금은 시끄럽다고 하는데 그때는 뿅 가더라고. 기타 안 치고 생으로. 나의 청혼가였거든."

다방

"클래식 음악을 틀어 달라고 편지를 주기도 했어"

명륜동에서 디스크자키를
하신 양영옥(1953년생, 서울) 님의
이야기입니다.

"명륜동의 한 다방에서 디스크자키를 했어. 학생들이 곡 제목 스펠링을 틀리게 적어주기도 했는데 그게 참 재밌었어."

"양희은, 서유석 이런 사람들의 노래가 유행이었어. 클래식을 틀면 젊은 애들은 싹 나가. 젊은 애들이 많으면 젊은 애들 나가라고 클래식을 틀어 줬었어."

"쌍화차, 커피 이런 거 팔았지. 술은 없었어. 아! 위스키가 있었는데 홍차 같은 데 한 방울씩 넣어주는 게 있었지. 따로 술은 안 팔았어."

"아침에 오면 수란도 해줬어. 지금 커피숍에선 그런 거 안 해 주잖아."

"기억의 색을 더하는 시간 | 고향, 그리다"

심리사회적지원센터
ART ON EARTH

〈마을 풍경〉편

고 향 , 그 리 다

심리사회적지원센터
ART ON EARTH

고향, 그리다 : 〈마을 풍경〉편

2020년 11월 30일 1쇄 펴냄
2021년 3월 15일 2쇄 펴냄

지은이   송정은, 허애경
그린이   신진호
말한이   김구, 김계월, 김동순, 김석연, 김옥례, 김현수,
               이옥화, 이웅일, 송인환, 정영희

펴낸곳   아트온어스
주소   서울시 성동구 독서당로 42길 7-1 4층
판매 및 문의   070-4227-1278
홈페이지   www.artonearth.kr

디자인   로컬앤드 김욱, 권용석

인쇄   동양인쇄

ISBN 979-11-971800-3-3 17650
ISBN 979-11-971800-0-2 17650 (1~3권 세트)

〈마을 풍경〉편

고 향, 그 리 다

아트온어스

아트온어스는 예술치료 기반의 심리사회적지원 단체입니다. 우리 안에 있는 창의성과 회복의 힘을 신뢰하며, 누구나 겪을 수 있는 삶의 어려움 가운데 심리적 자원을 회복하고 다시 연결될 수 있도록 함께합니다.

www.artonearth.kr
facebook.com/helloartonearth
instagram.com/arton_earth/

그림 | 신진호

대학과 대학원에서 조형 예술을 공부하고 일러스트레이터로 활동합니다. 네이버 그라폴리오에 〈심플 라이프〉라는 제목으로 일상의 소중함과 인생의 아름다움을 담은 작품을 연재하고 있습니다. 그림을 그린 책으로 〈여름맛〉, 〈다와의 편지〉, 〈우리 모두 처음이니까〉, 〈창덕궁 꾀꼬리〉, 〈퓨마의 오랜 밤〉, 〈그냥 베티〉 등이 있습니다.

grafolio.com/shinjino
instagram.com/sunnyshino

나를 있게 하는 우리 (나우)

나우는 장애나 질병이 있어도, 나이가 들어도 안심하고 살아갈 수 있는 지역사회의 사회적 자본을 구축하고자 나우뮤직랩과 한국에자이가 중심이 되어 설립한 사회혁신네트워크입니다. 보건소, 기업, 학회, 협회 등 20여 개의 파트너 기관이 함께합니다.

blog.naver.com/nowprojectkr

미세하게 흔들리는 햇살 아래 고흥의 돌담과 마을은 낯설면서도 정겹습니다. 바람에 흔들리는 꽃과 나무, 낡은 돌담 위로 드리운 그림자마저도 좋아 한참을 바라보다가 그림으로 옮겨봅니다. "그래, 고흥에 와야만 볼 수 있는 풍경이구나." 혼잣말을 되뇌이며 풍경을 담습니다.

낯선 골목을 지나다 보면 처음 보는 얼굴이지만 낯익은 미소로 맞아주는 어르신들, 그리고 마음 편히 쉬어가라며 내어주는 따뜻한 차 한 잔이 여행의 피로를 녹여줍니다.

아이들이 뛰어놀던 학교와 그 앞의 아이스크림 가게, 시장에서 들리는 정겨운 사투리, 사람들, 그리고 함께하는 마음들.

그 마음을 담은 <고흥, 그리다>는 고흥을 마음으로 그린 동화 같은 그림책입니다. 고흥이 가진 특유의 색감과 정서, 그리고 이곳 사람들의 이야기에 귀 기울이며 느낀 따뜻함을 책 속에 담았습니다. 고흥의 숨은 매력과 사람 사는 이야기, 그리고 사라질 수도 있지만 여전히 살아있는 풍경들을 책을 통해 만나보실 수 있습니다.

화가, 작가, 시인 등 문학적인 감성과 함께 하는 작가들의 손끝에서 태어난 작품들을 이 안에서 만나 보실 수 있는 그런 책이에요.

세월의 흐름, 그리고 그 안에 담긴 다양한 이야기들을 색채로, 글로, 그림으로 담아낸 <고흥, 그리다>는 여러분께 고흥의 또 다른 매력을 느끼게 해줄 것입니다. 각자의 시선과 표현 방법은 다르지만 모두 같은 마음으로 고흥을 사랑하는 작가들이 만들어낸 공동 창작물입니다.

<고흥, 그리다>가 여러분께 작은 위로와 따뜻한 쉼이 되기를 바랍니다.

아래의 QR코드를 통해 다양한 매체 활용 방법 및 책에 담긴 영상 콘텐츠를 경험하실 수 있습니다. 세부 안내는 해당 페이지를 경험하실 수 있습니다.

'고흥, 그리다.'

고향, 그리다

마을 풍경 : 차례

서울 종로 : 전차	08	이옥화
부산 서구 : 송도해수욕장	10	김현수
강원도 원주 : 제방뚝	12	김석연
경기도 김포 : 배부둑	14	이웅일
충청북도 청주 : 갬실	16	정영희
황해도 : 피난길	18	김동순
경상북도 영양 : 일월산 아래	20	김계월
전라남도 함평 : 학교리	22	김옥례
전라북도 정읍 : 내장산 자락	24	김구
충청남도 강경읍 : 옥녀봉	26	송인환

서울 종로 : 전차

"전차타면 신나지. 그 땐 탈 것이 없었으니까. 그러니까 심부름을 갔지"

서울에서 전차를 타고 심부름을 다니던 이옥화(1953년생, 서울) 님의 이야기입니다.

"지금 영화 같은 데 나오는 전차 그대로야. 한 칸짜리에다가 앞으로 타서 뒤로 내리고, 양옆이 창이고 가운데 종 달려서 종을 땡땡땡 치고."

"그때는 계가 유행이었어. 종로 2가에서 전차를 타고 곗돈 심부름을 다녔어 내가."

"아는 사람이 원효로에 사니까 종로 2가에서 곗돈을 갖고 가. 엄마 심부름이지. 어렸을 때니까 무서워가지고 긴장해서 다녔던 생각이 나."

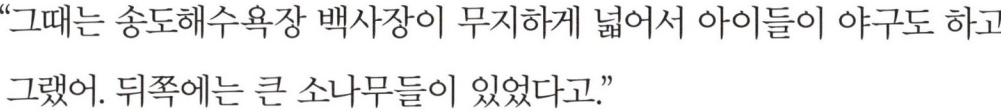

"발로 모래를 건드려 조개가 튀어나오면 댓 개씩 집에 가져갔지"

부산 송도 해수욕장에서 놀던
김현수(1934년생, 경상남도 부산) 님의
이야기입니다.

"그때는 송도해수욕장 백사장이 무지하게 넓어서 아이들이 야구도 하고 그랬어. 뒤쪽에는 큰 소나무들이 있었다고."

"모래사장을 발로 꿈질꿈질 허면 조개가 나오는 거라. 그럼 조개를 한 보따리 싸가지고 가고. 조개도 캐고 제 맘대로 놀 수 있지."

"발로 모래를 건드리면 조개가 튀어나온다고. 조개를 모아 한 댓 개씩 열 개씩 집에 가져가고 그랬지. 그럼 어무이가 잘한다 카지 뭐. 허허허허."

"수영 배웠지. 그냥 지가 입던 팬티 입고 수영하는 거지."

"오른쪽에는 모래사장이고 왼쪽에는 동글동글한 돌 있잖아. 돌 자갈밭이었어. 몽돌, 몽돌. 집에 갈 때 하나 주워서 가고."

강원도　원주 : 제방뚝

**"강원도가 말도 못 하게 추워. 그땐 엄마가
짜준 쉐타 입고 목도리 하고 그게 다였지 뭐"**

오빠들이 밀어주는 얼음 뗏목을
타고 놀았던 김석연(1956, 강원도 원주)
님의 이야기입니다.

"제방뚝을 넘어가면 큰 개울이 있는데 겨울에는 오빠들이 썰매를 굉장히
　많이 태워줬어."

"썰매 타다가 얼음을 뗏목처럼 깨 가지고 우리가 그 얼음 위에 옹기종기
　앉으면 오빠들이 긴 나무 갖고 쭉쭉 배처럼 밀고 가. 그걸 얼음 뗏목이라고
　했거든."

"뗏목에서 뭐 너무 재밌지. 오빠들이 가다가 놀리려고 일부러
　쿨렁쿨렁하면 우리가 막 소리 지르고 그랬어."

"원주니까 그렇게 얼음 위에서 놀 수 있었던 거지. 벙어리장갑을 껴도 너무
　추워서 오빠들이 손을 꽉 잡아주던 생각이 나네. 손가락이 얼얼하고
　발도 춥고."

경기도 김포 : 배부둑

"깡통에 긴 끈을 매서 딱 차고, 나무 하나 들고 가는 거야"

김포 대봇둑에서 개구리를 잡던
이웅일(1955년생, 경기도 김포) 님의
이야기입니다.

"봇둑인데 대봇둑이라고 해. 거기도 토요일, 일요일은 물을 빼. 그때 개구리 잡기를 하는 거지."

"풀숲을 툭툭 쳐. 개구리가 튀어나와. 그럼 딱 잡아가지고 깡통에다 집어넣어. 그냥 담아."

"뒷다리만 쏙 빼. 그거를 나무에 걸어 불에다 구워. 맛이 아롱사태야~."

"대봇둑이니까 무지 길잖아. 동네에서 삽을 가져와서 물을 퍼. 그럼 붕어, 미꾸라지, 메기까지 나와. 그걸로 매운탕을 끓이는 거지."

충청북도   청주 : 갬실

"댕겨오셔유~"

출근하시던 아버지를 온 가족이 배웅했던 정영희(1953년생, 충청북도 청주) 님의 이야기입니다.

"우체국에서 나오는 전용 자전거라 자전거도 빨갛고 우체국 정복이 있어. 양복을 깔끔히 입으시고 출근을 하셨지. 옛날에는 양복이 최고잖아."

"아부지가 나가시면 왜 그렇게 손바닥을 엉치에 그렇게 붙였는지. 올바른 자세라고. 그러고 엄마가 '댕겨오셔유~' 그래. 그럼 우리가 '댕겨오셔유~' 그래."

"오후에는 멱 감고 와서 멍석을 깔아 놓은 마당에 누워서 하늘을 보면 별이 그냥 다 나한테로 쏟아질 것 같은 그런 밤이야. 너무 좋은 거야."

"깜깜한 밤에 화장실 가려고 나와보면 박꽃이 하~얗게 깜깜해도 그게 너무나 아름다운 거야. 내가 여기 이사 와서 첫해에 오죽하면 박꽃을 심어 봤어. 지금도 너무 예뻐. 그때 감성이 아직까지 살아 있더라니까."

황해도 : 피난길

"얼마나 걸었나 몰라"

황해도에서부터 피난길을 걸었던
김동순(1932년생, 황해도) 님의
이야기입니다.

"아부지가 '남으로 가자' 해서 내려오는데 걸음을 너무 걸으니까 다리는 아프고 죽겠어."

"동생은 7살 먹었는데 어리니까 업었다 내렸다 하고, 보따리 요만한 거 지고 나왔는데 그걸 또 누가 집어 갔어."

"기차 꼭대기에 타고 굴속에 들어가면 새까맣게 돼서 나왔어. 그렇지마는 남한으로 온다고 죄다 타고 나오는 거니까 그냥 딸려서 왔지."

"그래도 살아보겠다고 그랬어."

경상북도 영양 : 일월산 아래

"풍경이 너무 좋아요. 이런 동네가 없어"

경북 영양의 작은 마을의 느티나무
아래에서 놀던 김계월(1949년생,
경상북도 양양) 님의 이야기입니다.

"학교랑 개천 사이에 느티나무가 있는데 이 느티나무가 할머니, 할아버지 안방이야. 아이들도 그렇고. 누구나 일하고 더우면 여기에 앉아 있고 누워서 낮잠도 자고 했지."

"바로 앞에는 개울이 있어 가지고 멱 감고 여와서 놀기도 하고 그랬지."

"내 어릴 때는 새벽에 일찍 엄마랑 가서 물 떠다가 밥해 먹고 빨래도 하고… 흐르는 물이니까. 물가 옆은 다 자갈이야. 더우면 저녁에 엄마 따라 목욕하러 가. 목욕하고 나서는, 학교가 운동장이 넓잖아. 거기다가 멍석 깔아 놓고 누워서 별 하나 나 하나 별 둘 나 둘 이렇게 장난도 하고 그랬어."

"난 옷을 이쁜 걸 못 입었어. 검정 고무신 하나 사주면 너무 좋아. 어느 날 물이 많이 늘어 가지고 목욕하다가 고무신 한 짝을 잃어버렸어. 그래서 엄마한테 뒈지게 혼난 적도 있어. 예쁜 것도 아닌 검정 고무신을 갖고…"

전라남도 함평 : 학교리

"같이 먹으니까 더 맛있는 거지"

호남 음식에 자부심을 갖고 있는
김옥례(1958년생, 전라남도 함평) 님의
이야기입니다.

"호롱이는 볏짚에 낙지 머리를 끼워서 구워 먹는 건데. 지금은 볏짚이 없으니까 와르바시에 끼워서 먹는 거지."

"조그마한 항구들이 있어서 꽃게, 낙지, 갈치, 조기 이런 것은 흔한 거였어."

"여럿이 모이면 마당에 모여서 불 피워 놓고 같이 낙지 구워 먹고, 말아가지고 양념해서 쪄서 먹기도 하고 그랬지."

"반건조 그거는 집에서도 생선 사다가 많이 말리지. 바람 통해서 마르라고 처마에 매달아 놓는 거야."

"모기장 같은 거 씌워서 파리 안 들어가게 말려야지. 제철에 사다가 많이 말렸어."

전라북도 정읍 : 내장산 자락

"다람쥐 잡는 건
너무 재밌었지"

정읍의 돌산에서 다람쥐를 잡던
김구(1955년생, 전라북도 정읍) 님의
이야기입니다.

"내장산 기슭인데 아주 악산이야, 돌이 많아. 한 계곡이 다 돌이지."

"학교 갔다 와서 공부를 한 적이 없어. 놀러 다녔지. 다람쥐 잡으러 다녀서 많이 잡아 왔어. 이만한 자루 하나 하고 라이터, 성냥개비 하나 있으면 돼."

"옆에 친구는 못 도망가게 막아 놓고 솔잎 같은 거 태워서 연기를 집어넣어. 그럼 다람쥐가 튀어나오는 거야. 못 참고. 다람쥐가 보자기 속에 들어가. 그럼 재밌어."

"체를 가지고 한쪽에다 박아 놓고 다람쥐가 들어가서 바퀴를 돌리게끔 만들어. 동네 형들이 기술을 전수해줘서 쭉 내려오는 거야."

충청남도　강경읍 : 옥녀봉

**"아저씨들이 얘기하는 걸
골라서 꼽사리 껴 듣는 거지"**

충남 강경 옥녀봉에서 라디오를
듣던 송인환(1955년생, 충청남도 강경)
님의 이야기입니다.

"옥녀봉이 금강 옆에 있는 봉우리라, 꼭대기에 가면 정자목이 하나 있어. 거기 모여서 아저씨들이 모기 쫓으려고 부채 하나씩 들고 도란도란 이야기하고, 장기도 두고."

"그렇게 모이면 아저씨들이 심심하니까 옛날 얘기하는데, 거의 구라지. 강경 극장에서 영화 본 얘기하는 사람도 있고, 귀신 얘기하는 사람도 있고. 밤새도록 도깨비한테 홀려서 또랑에서 게를 잡았는데 나중에 보니까 다 솔방울이더래."

"나는 라디오가 하나 있었어. 아버지 트랜지스터 라디오. 파나소닉인가~ 내셔널인가. 그거 가지고 가면 사람들이 라디오 들으려고 모이는 거야."

"별 보고 노는 거지. 은하수가 쫙 흐르고 별이 아주 대단하지. 사람들이 싹 없어지면 허하니까 그때는 집에 가는 거야."

"기억의 색을 더하는 시간 ㅣ 고향, 그리다"

심리사회적지원센터
ART ON EARTH

ART ON EARTH
실내실치사업부

고원, 그리다

⟨이 팔경⟩편

고향, 그리다 : 〈어떤 날〉편

2020년 11월 30일 1쇄 펴냄
2021년 3월 15일 2쇄 펴냄

지은이 송정은, 허애경
그린이 정소영
말한이 김은경, 김영희, 김진, 서옥연, 이금숙, 이길웅,
          이복례, 이시동, 이영숙, 전순례

펴낸곳 아트온어스
주소 서울시 성동구 독서당로 42길 7-1 4층
판매 및 문의 070-4227-1278
홈페이지 www.artonearth.kr

디자인 로컬앤드 김욱, 권용석

인쇄 동양인쇄

ISBN 979-11-971800-2-6 17650
ISBN 979-11-971800-0-2 17650 (1~3권 세트)

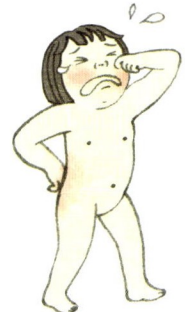

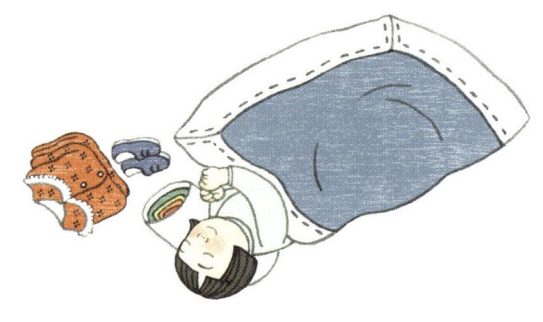

가라지, 갈고

〈아비 찾기〉편

아트온어스

아트온어스는 예술치료 기반의 심리사회적지원 단체입니다. 우리 안에 있는 창의성과 회복의 힘을 신뢰하며, 누구나 겪을 수 있는 삶의 어려움 가운데 심리적 자원을 회복하고 다시 연결될 수 있도록 함께합니다.

www.artonearth.kr
facebook.com/helloartonearth
instagram.com/arton_earth/

그림 | 정소영

대학과 대학원에서 서양화를 전공하고, 한겨레 일러스트레이션 학교 그림책 과정을 마쳤습니다. 쓰고 그린 책으로 〈아들에게〉, 〈딩동딩동 편지 왔어요〉, 〈나는 우리 마을 주치의〉가 있고, 〈난 원래 공부 못해〉, 〈꼬끼오, 새날을 열어라〉, 〈나는 그냥 나예요〉, 〈쿵작쿵작 사진관이 왔어요〉에 그림을 그렸습니다.

나를 있게 하는 우리 (나우)

나우는 장애나 질병이 있어도, 나이가 들어도 안심하고 살아갈 수 있는 지역사회의 사회적 자본을 구축하고자 나우뮤직랩과 한국에자이가 중심이 되어 설립한 사회혁신네트워크입니다. 보건소, 기업, 학회, 협회 등 20여 개의 파트너 기관이 함께합니다.

blog.naver.com/nowprojectkr

'고향, 그리다'

치매를 앓으셨던 할아버지는 틈만 나면 고향에 가겠노라며 집을 나섰고, 못 가게 말리면 가족들 몰래 집을 나가셨습니다. 그럴 때마다 쫓아 나가 할아버지를 모시고 집에 들어오며 "도대체 고향에 뭘 숨겨두셨길래" 하고 푸념 섞인 농담을 하기도 했습니다.

많은 분들이 나이가 들고 치매에 걸리면 최근의 기억부터 잊어버리곤 합니다. 가장 오래된 기억이 가장 오래 남아 있는 것이지요.

어르신들이 사용하실 책에 그런 이야기를 담고 싶었습니다. 오래오래 그들 안에 남아 있는 장면들. 언제 이렇게 시간이 지났나 싶은 순간들, 사람들, 그리고 그 곁을 함께한 마음들.

그 마음을 담은 <고향, 그리다>로 미술 활동을 하고, 나와 타인의 고향에 관해 이야기 나누며 주제 유지, 공동 주의 집중, 과거 회상과 같은 인지적 활동을 할 수 있습니다. 또한, 같은 세대가 겪은 삶의 조각을 통해 아픔과 기쁨을 나누고 서로 위로하는 시간이 되어도 좋겠습니다. 경도인지장애를 겪고 계신 분들이라면 회상 기억, 촉각, 시각 등 복합적인 자극을 통해 남은 기억과 능력을 유지할 수 있도록 격려해 주세요.

색연필, 크레파스 외에 다양한 재료로 새로운 시도를 해 보세요! 파스텔, 물감이나 스티커 붙이기 등 사용하시는 분의 운동성과 조절 능력에 맞는 다양한 미술 매체를 활용하시면 보다 풍성한 경험이 될 것입니다.

옛 시절의 이야기를 간직한 어르신, 그리고 주위의 어르신들과 함께 시간을 나누고 싶은 모든 분들에게 <고향, 그리다>가 새로운 추억이 되었으면 합니다.

아래의 QR코드를 통해 다양한 매체 활용 방법 및 세부 인터뷰 내용을 확인하실 수 있습니다.

고향, 그리다

어떤 날 : 차례

- **설날**   08   이영숙
- **파마하던 날**   10   김은경
- **목욕탕 가는 날**   12   이금숙
- **화투 치던 날**   14   이복례
- **아이스크림 먹는 날**   16   김진
- **외가 가는 날**   18   김영희
- **데이트하는 날**   20   이길웅
- **장가가던 날**   22   이시동
- **아빠가 되던 날**   24   서옥연
- **고추장 담그는 날**   26   전순례

설날

"그때는 설빔하나 얻어
입으면 얼마나 좋았는데"

설빔을 머리맡에 두고, 설레어 잠 못
이루던 이영숙(1953년생, 충청남도 논산)
님의 이야기입니다.

"옛날에는 명절 돌아오면 신발하고 옷 산 거. 아버지가 장에 가시면 그걸 얼마나 기다렸나 몰라."

"3학년 때인가 아버지가 골덴 한 벌 사다 줬는데, 그게 너무 좋아 가지고 머리맡에 놓고 자고 그랬어. 바지랑 윗도리 세트였는데 붉은 계열하고 검정 계열이 섞인 자잘한 꽃무늬 옷이야. 옛날에는 식구가 많으니까 양말도 이렇게 죽으로 사 오셨어."

"설빔을 해주면 그 옷 입고 설날 아침에 큰 집으로 가. 10분 15분 걸어서 설 쇠러 가는거야."

"그렇게 쭉 걸어 가서 밥을 먹고 세배하고 10원짜리 세뱃돈 타서 오는 거지."

| 파 | 마 | 하 | 던 | | 날 |

**"아카시아 줄기에 이파리 딱 떼어내고
파마한다고 머리에 말아가지고 놀고 그랬어"**

미용사가 찾아오던 날을 기다리던
김은경(1952년생, 충청북도 괴산) 님의
이야기입니다.

"시골이니까 미용사가 한 번씩 마을로 와. 그러면 엄마가 가서 파마를
 하는 거야."

"그때 국민학생이 파마를 해달라고~ 하하하. 안 된다 그래서 울고불고했어."

"내가 아마 이런 거 하는 걸 좋아했던 것 같아. 꾸미고, 옷도 좋아하고.
 막 울었던 기억이 나."

"근데 한 번은 해줬어. 요 옆머리만. 그래서 초등학교 사진 보면
 나만 뽀글뽀글해."

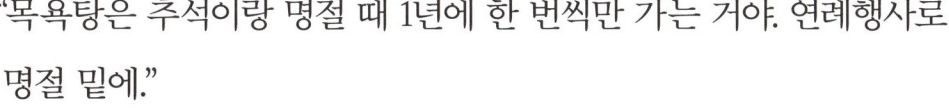
목욕탕 가는 날

"모르는 사람끼리 앉아서 등도 밀어주고 그랬어"

명절 전 목욕탕에 가던
이금숙(1954년생, 서울) 님의
이야기입니다.

"목욕탕은 추석이랑 명절 때 1년에 한 번씩만 가는 거야. 연례행사로 명절 밑에."

"그때 엄마한테 잡혀서 목욕탕 가면 때 밀기 힘들지. 아프지, 모처럼 가니까 얼마나 빡빡 밀겠어. 등짝 맞아 가면서 했어."

"광목. 이런 헝겊 쪼가리로 하는 거지. 얼마나 아파. 사람이 얼마나 많은지, 바글바글해. 탕 하나 두고 빙~ 둘러앉는 거지. 큰 애가 작은 애 밀고."

"끝나고 나와 엿이나 하나 얻어먹으면 땡큐지."

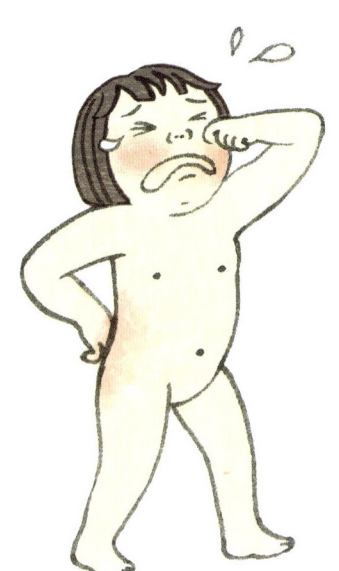

화투 치던 날

**"화투를 치다가 한 번 된통 혼난 뒤로
팔십둘 먹도록 화투장을 만져도 안 봐"**

동네 친구들이 그리운
이복례(1939년생, 충청남도 공주) 님의
이야기입니다.

"옛날 노인네들이라 마실을 못 가게 해. 그럼 아부지, 어머니 장에 가실 때 잠깐 친구들 우리 집으로 오라고 해서 밀가루 개떡에 강낭콩 넣어 쪄 먹고 놀고 그랬지."

"어느 날 친구가 수 놓다 말고 '야, 우리 이거 하지 말고 화투 한 번 할래?' 이래서 '그랴' 그랬지."

"아~! 엄마가 느닷없이 감자 쪘으니까 감자 먹으라고 문을 열었어. 깔깔거리고 웃다가 다 걸렸지 뭐. 한판 치고 두 판째 돌아가다가 그랬지."

"그리고 아부지한테 손목 잡히고 디지게 혼났어."

아이스크림 먹는 날

**"한 개씩 다 사주는 게 아니고
하나를 사서 나눠 먹는 거라"**

아이스크림 하나로 골목대장 하던 때를 기억하는 김진(1945년생, 경상남도 부산) 님의 이야기입니다.

"석빙고라고 해가지고 팥이 좀 들어가 있는 얼음이 작대기에 꽂혀 있었어. 요걸 아이스케키~ 아이스케키~ 이렇게 외치면서 판매할 때였지."

"우린 고무신은 안 받았는데. 엿은 고무신 바꿔 먹었어."

"어릴 때 요런 거 한 번 사 먹으면 그날 골목에 내가 영웅이야."

"마음에 드는 애들 하나씩 사주는 게 아니라 딱 세워가 한 개를 가지고 '니 한 번만 빨아먹어라' 하고 주고. 더 먹고 싶어가 두 번 먹으면 '확! 마!' 했지. 그런 게 추억이다."

외가 가는 날

"그때 새우를 삶으면 빨갛게 된다는 걸 알았지"

엄마가 지어 주신 예쁜 옷을 입고
외가 가던 날이 생생한 김영희(1950년생,
충청남도 공주) 님의 이야기입니다.

"옛날에는 정류장이 따로 없었고 사람이 손을 들면 세워주고 그랬어.
'달월이요' 그러면 손을 드는 거지. 큰 길가에 내려서 한참 걸어 들어갔어."

"봄철이었나 봐. 엄마가 동대문에서 옷감 떼다가 만들어 주셔서 아주
아기자기하고 이쁘게 입었어. 카라도 있고 뒤에 리본도 있고 주름치마로
셔링 넣어가지고 입었지."

"버스정류장 이름이 '달월'인데 거기에 내려서 우리 외가댁에 가는 거야.
걸어가다 보면 개천이 쭐쭐 흐르는데 거기 있는 목조 다리를 건너야 해.
건너가서 밑을 내려다보면 새우가 빠글빠글해."

"또랑에 까만 새우가 막 돌아다녀요. 엄청 많았지. 그걸 잡아다가 무 넣고
지져 먹는데, 끓이면 빨갛게 돼요. 그게 그렇게 신기할 수가 없어."

데이트하는 날

"덕수궁 뒤로 가면 화단이 그렇게 좋았어"

아내와 연애하던 시절 함께 거닐었던
덕수궁길의 아름다움을 기억하는
이길웅(1943년생, 서울) 님의 이야기입니다.

"내 대학 다닐 때 집사람하고 연애했던 기억이 나. 주로 덕수궁 가고 경복궁에 갔지."

"미리 약속을 하지. 일주일이나 보름 전에. 몇 시쯤 학교 앞에서 만나자. 어느 다방에서. 옛날에 다방 참 많이 갔어."

"경회루 쪽에서 남이 안 볼 땐 손도 좀 잡고. 그때 후문 쪽으로는 돈을 안 받고 정문 쪽으로는 돈을 받았어."

"땡땡이치고 창경원 많이 갔어. 지금 기억나는 건… 봄 되면 동숭동 대학 본부 쪽으로 개나리꽃이 화려하게 폈었어."

장가가던 날

"장가가서 좋았지"

시집살이 하던 부인이 안타까웠던
이시동(1932년생, 충청남도 천안) 님의
이야기입니다.

"결혼도 스물네 살에 했어. 우연히 사강에 있는 한 여자가 이모네 왔는데 그 옆이 우리 집이었어. 그 여자를 우리 사촌 누이가 찍어가지고 중매를 한 거지."

"아무것도 없는 여자라 반닫이 딱 하나 해오고 이불, 요, 베게 하나 해온 거야."

"근데 우리 형수가 가난한 집에서 온 여자라고 아래 동서 우습게 보고 시집살이 참 많이 시켰어. 돈을 왜 따져. 와이프가 고생 많이 했지."

"상 위에 사과, 배, 대추, 술, 닭 올려놓고 술 나눠 먹고 맞절하고 그랬어. 둘이 상 앞에 마주 보고 서고, 동네 사람들이 둘러싸고 구경하고 그랬지. 아들, 딸 많이 낳고 살라고 밤, 대추 던져 주는 거 받고."

아빠가 되던 날

"큰딸을 낳았을 때, 그때가 제일 귀엽고 좋았어. 그렇게 좋을 수가 없었어"

첫째 아이를 낳던 날의 기쁨을 간직하신 서옥연(1942년생, 전라남도 순천) 님의 이야기입니다.

"중매를 해서 만났어. 둘이 그냥 결혼해서 살자 하고 결혼을 했어. 부모 재산이 많지도 않고 형제가 많기도 하니까 우리끼리 노력해서 먹고살자 해서 집사람하고 열심히 살았지."

"집사람이 사는 게 힘들어 앓고 그러면 내가 손 꼭 붙잡고 조금만 참자 참자 했지. 그렇게 사는 와중에 애를 낳았어요. 내가 애를 들어 안고 집사람은 보고 있고."

"난 죽어도 못 잊을 거 같아. 잊을 수가 없어. 어디 누가 뭐라 그러면 '손대지 마' 그렇게 말했어요."

"뭐라고… 누가 뭐라고 말을 걸어도 대답도 안 하고 너무 좋아서 어쩔 줄을 몰랐어. 울지도 않고 싱글싱글할 때 그렇게 예쁠 수가 없었어."

고추장 담그는 날

"솜씨가 막 한참 피어날 때여서 담기만 하면 맛있었어"

맛깔난 고추장 만드는 방법을
친정어머니께 전수받은 전순례(1952년생,
전라북도 완주) 님의 이야기입니다.

"내가 삼십 대 때 어머니가 칠십이었잖아. 그니까 급하게 배운 거야. 친정엄마한테… 메주 만드는 거, 장 띄우는 거, 장 담그는 거 다 배워가지고 지금도 다 담가 먹어."

"개량 메주 사다가 고추장 담그잖아. 나도 그걸 사다 먹는데… 맛이 안 나. 고추장이 옛날 그 담백한 맛이 안 나."

전순례님의 고추장 담기

고추장 메주 담기
1. 불린 콩과 쌀가루로 떡을 하여 가래떡 빼듯 뺀다.
2. 여러 번 치대 동그랗게 만들고 가운데를 폭 들어가게 뚫는다.
3. 시골에서 얻어온 짚을 한쪽에 펴고 그 위에 말린다.
4. 잘 마를 때까지 한 번씩 뒤집어 준다.
5. 어지간히 꾸덕꾸덕 마르면 양파 자루에 넣어 바람 지게 달아 놓는다.

고추장 담기
1. 고춧가루를 방앗간에서 곱게 빻고 엿기름, 찹쌀가루 밀가루 등을 함께 준비한다.
2. 항아리를 준비해 고춧가루, 메줏가루, 소금, 엿기름물, 엿기름, 쌀가루를 넣는다.
3. 팍팍 저어가며 눋지 않게 달인다.
4. 하루 저녁 놔두고 퍼지기를 기다린다.
5. 고춧가루가 다 퍼지면 소금 간을 한 후 항아리에 담는다.

"기억의 색을 더하는 시간 │ 고향, 그리다"

심리사회적지원센터
ART ON EARTH